길 가 에 풀 꽃 처 럼

KB075592

길가에 풀꽃처럼

발 행 | 2024년 04월 15일

저 자 | 이 상 영

펴낸이 | 한건희

펴낸곳 | 주식회사 부크크

출판사등록 | 2014.07.15(제2014-16호)

주 소 | 서울특별시 금천구 가산디지털1로 119 SK트윈타워 A동 305호

전 화 | 1670-8316

이메일 | info@bookk.co.kr

ISBN | 979-11-410-8039-6

www.bookk.co.kr

길가에 풀꽃처럼

이 상 영 지음

CONTENT

내가 글을 쓰는 이유

학창시절 글 재주도 없는 나에게 고등학교 특별 활동 시간은 큰 즐거움과 색 다른 경험을 주었다.

학교 교지를 교정하고 시화전에 "시"를 출품 하는 과정이 꼭 작가가 된 듯하여 어깨가 으쓱 했었다.

지금 생각해 보면 그 학창 시절이 나에게 "시"에 눈을 뜨게 했고 글을 쓰는 즐거움을 허락해 주어서 참 고맙게 생각한다.

그 덕분일까 얼마 전 석양이 지는 연말 저녁 노을이 꼭 내 인생을 닮은 것 같아 인생에 무엇인가 하나는 남기고 싶은 마음에 시를 쓰기 시작한 계기가 되었다.

비롯 지금 쓰고 있는 글은 습작에 불과 해 부끄럽지만, 누구에게 보여 주기 위해 쓴 것도 아니었고 내 자신이 지금까지 살아 오면서 바라 본 자연과 내 자신의 삶 그리고 우리 주변의 이야기를 "시"라는 장르를 빌려 일기를 쓴 것이다.

아름다움 "시" 구절 이나 창조적이고 독창적인 구석은 없어도 나름대로 내 진솔한 생각을 쓰려고 노력하였다. 먼 훗날 이상영이라는 사람이 세상을 등지고 떠나고 나면 내 가족들이 제 자신을 기억하고 영혼을 위로 해 주었으면 하는 생각 그리고 아들이나 마누라가 제 기일에 이 책 한 권이라도 제상에 올려 주길 바라면서 지금도 생활 "시"를 쓰고 있다.

'환갑이 얼마 남지 않은 병오생 이 상 영에게 이 책을 드린다.

이사 가는 담배 가계 아줌마

이른 새벽 봄 비가 촉촉히 내리고
가계 안 물건을 잃어 버린 듯 넋 놓고
손님을 기다리신다.

아침이면 둥구나무 빨래터
아낙네들 소근대는 소리
이웃집 아래 목 속 사정을
빨래 방망이로 어르며 두드리며
귀 동냥으로 일군 세상살이

어느덧 줄어 들어 쭈굴 거리는 살갗
헝클러진 흰머리 카락 속에
세월의 흔적을 감춘다.

아직 가계에 남은 물건은
인생의 짐인 듯 옮기지 못하고
간 밤 한 숨도 못 잤다는 핑계를
아침 첫 담배 손님에게 팔아 버린다.
.
그래 그래
그냥 다 팔아 버리고 가야지
모래에 손을 넣고
두꺼비의 헌 집은 팔아 버리고
새 집을 달라던 그 마음처럼

빈 손으로 집에 가야지

봄 개 나 루 (춘 포)

바람을 막을 수 없어 신 들린 갈대
누군가를 그리워 애태우는 마음

물 길을 돌일 수 없어 휘어지는 강줄기
지나는 물새 울음 강둑에 서고

봄개나루 쏟아지는 햇살
만경강 들녘은 새색시처럼 웃는다.

만남과 이별이 교차하던 춘포역 기적 소리
시간을 잃고 흔들리는 만경강 들꽃이 되고

석양빛 붉게 물든 만경 강가에
아무 말 없이 침묵하는 내 마음

강변 겨울 서릿발을 견디고 나면
봄개나루 봄 볕에 내 마음에도 꽃을 피우리라.

추   억

내 가슴이 얼어 붙은 이유는
당신을 어루만져 줄 수 없기 때문입니다.

내 입이 무거워진 이유는
당신께 노래를 들려줄 수 없기 때문입니다.

내 눈이 매서워진 이유는
당신의 눈 속에 빠져 들 수 없기 때문입니다.

내 손이 무뎌진 이유는
당신에게 약속을 할 수 없기 때문입니다.

내 발이 당신께 가까이 가지 못하는 이유는
당신이 놀라 뒤 걸음 칠까 두려워서 입니다.

공주 휴게소에서

그 리 움

꽁꽁 얼어붙은
겨울 들녘

아련한 그리움이
사무칩니다.

세 찬 눈보라에
뒤엉켜 버려
나풀거리는 갈대밭엔
세월의 그림자가 드리워져
그리움 조차 부끄럽습니다.
인연의 나이를 훌쩍 넘은

지금

행여 누가 볼까
그리움을 하얀 눈 속에 묻어 두었다가
내 마음에 봄이 오면
그리움의 씨앗을 꺼내
심어 볼까 합니다.

벌교 고속도로 휴게소에서

을미년 새해 아침에

아직 창 밖은 어둡다.
새해 시작을 알리는 보신각 타종 소리를 들으면 잠이든 것
같은데,

아직도 해가 뜨지 않는다
어제와 오늘이 공존 하는 밤이다.

벽에 걸린 달력은 작년 달력
떼어내고 한 장 한 장 넘겨 보고 아쉬움이 남는다.

을미년 새해 달력을 벽에 걸고
한 장 한 장 넘겨 본다.

참 많은 날들이 질서 정연하게 나를 기다리는 것 같다.

그리고 많은 생각을 해 본다.

지금

가슴속 어제의 아쉬움은 추억이고
가슴속 내일은 희망이고 삶이다.

창 밖이 환해지는 것 같다.
해가 내 머리 위로 떠오르나 보다
새로운 희망이 생긴다.

한 해가 저물어 갑니다.

엊그제 매화꽃 향기를 맡으며 일을 시작 한 것 같은데
벌써 국화꽃 향기는 체취를 감춘 지 오래 되었고
나무 가지에 하얀 눈 꽃이 피었습니다.
그리고 내 머리에도 흰 머리가 더 늘었습니다.
나무 가지에 핀 눈 꽃도 지고 강가에 살얼음이 풀리고 나면
새로운 매화꽃 향기가 온 천지를 깨울 것입니다.
나도 또 그렇게 시작하려 합니다.
진한 매화 향기처럼 아름다운 향기를 뿜내며......

직산 온조왕 사당에서

산들 바람에 머무는 하루

어둠 속
고요한 달빛
창가에 머물고
어머니 품속 같은
평화가 옵니다.

꽃들은 향기를 만들고
소담하게 매달린
배나무 열매
풀벌레 소리에
살을 찌운다.

산들 바람
빛나는 태양
보리밭 청 보리
꽃대를 부등켜 안고

동구 밖
논바닥 첨벙대는 황소
광주리 이고
달려 오는 아낙네
꿀같은 오후에
꼴을 먹인다.

라일락 꽃 향기 바람에 날려

라일락 꽃 향기
바람에 스쳐오고
진한 커피가
내 입술에 닿을 때
늘어진 어께 위
추억을 남기고
먼 길을 떠난 그대

이 봄은
긴 겨울 수북이 쌓인
눈 만큼
눈물이 흐르고
기다림에 지친
나는
라일락 꽃 향기 속에
나를 가두어
그대를 찾아 먼 길을 떠난다.

아직도
그대는 내 사람이고
라일락 꽃 향기가
당신에게 묻어 있어
나는 당신을 사랑합니다.

백 일 홍

천년의 세월 속
늘어진 기와 뒷마당
소담하게 피어
물기 없는 지조가 빛난다.

주인 없는 빈 집 창가에
휘영청 달빛은
백일을 꼬박 세워 가며
선인의 글을 읽는다.

바람은 땡 볕에 여물고
연지 속 금붕어는 벌름거리며
새들은 소나무 가지에서
사랑을 약속한다.

연지에 가득 찬
푸른 하늘
연분홍 꽃이 떨어진다.

아직도
떨어진다.

비가 옵니다

저벅 저벅
빗물을 밟으며

그리움이 옵니다.

마주 앉은 것처럼
따스한 커피 향이

님의 숨결처럼 느껴집니다.

그 사람도
어디선가

커피에 입술을 댑니다.

그리움이
빗물이
창가에 눈물 되어 흐릅니다.

연　등

안갠 낀 산사에
청아한 목탁 소리
풀 숲에 내려
꽃 향기 향불처럼 그윽하다.

잠시
휴식같은 이 아침
맑은 이슬에 눈을 맞추고

긴 세월의 흔적
봉긋한 바위 틈에
흐르는 물이
인연을 따라 떠난다.

아득히 먼 하늘
깊은 한 숨
처마 끝 연등에
마음을 매달아
밤마다 소원을 빌어본다.

숲 속에는

내 생각이
바람에 팔랑거리고
햇살에 번들거린다.
요동치 듯
또 다른 생각을 낳고

새들은 끝도 없이
들락거리며
이름 모를 노래를 히고
아카시아 꽃 향기는
바람결에 박자를 탄다.

논두렁에 물은
바람에 찰랑거리고
빈 햇살만 떨어져
주인 없는 논바닥에
개구리만 신났다.

짙어지는 신록에
숨 가쁘게 떨어지는 해는
숲 속에 숨어 들어
깊은 한숨에
내일을 또 기약한다.

5월의 아침

조용히 아침을 여는
5월
새 소리는 유난히 맑고 화사하다.
산줄기 마다 이어지는
초록 물결
내 살갗에 부드럽게 스쳐 오고

학교 운동장
푸른 하늘 만국기
어린 새싹들 함성에 놀라
펄럭인다.

학교 앞 울타리 장미는
달빛에 향기를 만들어
뜨거운 태양에 맞서고

향긋한 꽃 내음에 취한
벌들은 온 몸에 꽃술을
바르고

학교 운동장 넘어
바쁘게
내 달리는 사람마다
마음엔 희망이 한 가득이다.

영모리 산지기

굽이 굽이 돌아온 길.
인생의 마지막 종착지.
파란 작업복
이름 석자 세 겨져 있고
인생의 완장처럼 입고 다닌다.
한 때는 현해탄을 넘어 다니는 금속 기술자.
아들의 사업 자금으로 날아간 퇴직금
벽에 걸린 상장은
이직도 퇴직금인 듯 자랑을 하고
남 모를 눈물 벽장 속 서류 뭉치에 빛이 바랬다.
어린애처럼 해맑은 미소로
굽신 거리며
어느 하늘 아래 있을지 모르는
외 아들 손자 생각에 가슴 태운다.
앉은 등 넘어 떨어지는 햇살
눈물은 마음에 고여 있고
막걸리 한 사발
끊이는 라면은 다 불어
시골이 싫다며 서울 딸래집 가신
아줌리 내가 더 기다려진다.

배   꽃

배나무 밭
소 똥 구린내
알맞게 배어 나와
동지 섣달
눈 꽃처럼 하얗다.
보리 밭 종달새
꽃대를 물고 노래를 하고
미끄러지는 땡볕에
개구리는 첨벙 첨벙
물질을 한다.
작년 여름 장마에
할퀴어 떨어진
배나무 꼬투리
소담하게 지는 배꽃에
희망을 본다.

5 월의 꽃

손을 툭 대면 터질 것 같은
넓 다란 파란 하늘
늘어진 산 봉우리 마다
초록 지붕 해 일고
뜨거운 태양을 녹인다.

초가삼간
밤이 오면 어스름한 달빛
회측을 밝히고
쟁쟁 거리는
풀벌레 소리에
5 월의 꽃은 만삭이다.

어제 본 꽃은
봄의 노래 이었고
내일 볼 꽃은
애절한 사랑이 깃들어
태양보다 뜨겁다.

보리밭 길

파란 하늘 청 보리 밭 길을 걸으면
종달새처럼 재잘대던 그 애가 생각납니다.
뭐가 그리 궁금한지 발그레한 내 얼굴
청 보리 꼬투리만 연신 꺾어
마음이 파랗다.
졸업을 앞 둔 그 해 겨울.
깨엿 두 개를 사 들고 간 학교 운동장.
하얀 눈은 수북이 쌓여 있고
봄이 오면 부산으로 간다던
그 애의 말에 마음은 얼어 붙고
주머니 속 깨엿은 겨울에도 녹아 버렸다.
눈 위에 그 애와 나의 발자국은
아직도 가슴에 남아 선명하다.

봄은 또 오고 가는데
지금 내 마음엔 청 보리만 수북이 쌓여
밤 하늘에 별도 세어 보고
가는 달빛에 소식을 물어도
메마른 그리움만이 부메랑이 된다.
가슴엔 누우런 보리가 익어가고
그리움만이 알알이 맺힌다.

내 영혼의 꽃

돌 틈새 거름기 없는
흙 한 줌
그곳엔
내 영혼의 씨앗이 자라
꽃을 피운다

밤이면 그윽한 달빛
끌어 안고 울었고
눈물은 이슬이 되어
목을 축인다

햇살은 돌을 달구고
바람은 산을 넘어
회오리 치고
소낙비 쏟아진 내 심장
흙 한 줌에 피는 내 영혼은
오롯이 향기만 그윽하다

산 기슭에 강이 흐른다

안개 자욱한 산기슭
푸른 용이 꿈틀거리고
골짜기마다 하얀 연무
폭포수처럼 흐른다.

동쪽 하늘 붉은 태양
맞 다은 능선을 따라
하늘 높이 오르고
짙 푸른 숲은 햇살에 빛난다.

나는 그 곳에 서서
내 작은 산 하나를 풀어 놓고
어르고 달래어도
구멍이 슝 슝 뚫려
바람 소리만 들린다
그곳에
새들은 퍼득덕 거리고
먼 길을 찾아 온 나그네의 인연은
바람에 소용돌이 되어 맴돌고
부서지고 깨어지는 슬픔에
눈물은 푸른 강을 이룬다.
길고 깊은 골짜기
푸른 숲은 침묵하고 긴 여행의
숨 고르기를 하는 중이다.

강　변

바람에 강변 물소리 들리고
물 새가 낮게 날으는
눈부신 오후 땡볕.
고요 속에 흐르는 물 비린내.
봉긋한 바위에 솟구쳐 오르는
하얀 포말이 찔레 꽃송이처럼
방울방울 물 위에 뜬다.

여름 한 철
물 속에 첨벙 빠져들어
다슬기 잡는 아낙네들.
돌멩이 하나에 신경을 집중하고
밀알같은 검은 다슬기를 줍는다.
바지 고쟁이 물속에 개 헤엄치듯 나풀거리고
커다란 바위산 소쩍새 울음.
그리움을 칙 넝쿨에 감아 올려 메아리 된다.

뽕나무 밭 검은 오디.
입 안에 오물오물 톡톡 터져
입 수염을 만들고
서로 마주보고 웃던 내 동무가 생각난다.

물 위 햇살은 더욱 반짝이고
철 없이 물장구 치고 돌 위에 젖은 옷을 말리던
그 강변은 내 마음의 고향이다.

내 마음에 비밀

내 심장이 두근거리고
입술이 바짝 마르는 답답함은
비밀이 많이 숨어 있음이다.
때론 동맥의 실핏줄을 타고
온 몸을 휘감아 돌며
무의식 속 아련한 추억을 감싸듯
하얀 비밀을 감추고 있다
태양은 붉은 열기를 불어 넣고
나누고 보태며
또 다른 비밀을 낳아 붉게 맺힌다.
깊은 밀어는 스폰지 같고
심장이 터져 나갈 듯한 아픔
고이 간직한 시간이 길수록
열반에 드신 고승의 사리처럼 빛난다.
이제 햇살도 숨을 죽이고
열매는 붉게 물든 노을 같아
내 가슴 속 빈 껍질 알알이 채워진
보석처럼 빛나는 선홍 빛 열매이고 싶다.

석류를 보면서

장   미

밤 하늘에 온유함을 담고
달빛의 그윽함을 먹으며
새벽 별 이슬처럼 청초한
너를 그린다.

파란 하늘 도화지
흰구름 머물고
태양의 붉은 립스틱으로
님을 그린다

꽃 향기 그윽하고
바람에 하늘거리며
붉은 웃음으로
내 가슴에 불을 당긴다

빈 초 막

텅 빈 들녘
소 똥 들고 와
푸른 초막을 짓고
밤을 향초 불에 태우며
봄을 찾던 님은 어디에

한 낮 땡볕
그을린 아카시아 꽃 향기는
빈 하늘만 맴돌고

밤새
소쩍새 울음 소리
님 그리워
메아리 친다.

아직도
봄을 찾지 못해
풀 숲을 헤매이고
푸른 초막 향 초불
주인 없이 눈물만 흘린다.

잠시 고속도로 휴게소에서 적어 봅니다
김정희님 감사합니다
다시 뵐 날 있겠죠

클 로 버

여기
저기
징그럽게 많다.
세 잎 클로버
네 잎 클로버
행운을 찾는다.

세 잎 클로버는 망태기에
한 가득 담아 토끼 먹이고
네 잎 클로버 하얀 꽃대
행운의 꽃 반지 만들어 끼고
소꿉놀이 하던
그 애가 생각난다.

장독대
맑은 햇살에
봉숭아 꽃처럼
웃던 그 애가

지금
참 궁금하다.

은혜로운 세상

영롱한 햇살이
온 누리를 감싸고
바람이 불어오는
숲 속으로 달려가자.

마당에
향기로운 꽃은
내 가슴에 있고
큰 은혜는
숲 속에 있어
헤아릴 수 없으니
가슴에서 흘러
가슴으로 내리는
은혜로운 마음뿐이다.

지난 세월
당신의 그림자
밤 낮 없는
질책에도
그 의미를 모르고

아직도
저 푸른 숲은
나를 바라보고 있다.

초 여 름

보리밭에
서늘한 바람
땡볕이 내려 앉아
녹색 물결 이루고

냇가에
은빛 물결
비단 금침으로
수를 놓는다.

버드나무 가지 아래
콩 새 한 마리
여전히 애잔하게 울고
벙어리 냉가슴 혼자 애를 태운다

오늘
님 오신다는 소식에
성산 맑은 물
이부자리 행구어
봄 햇살 금수를 놓고
봄 향기 꽃 술을 담아
봄이 다 가기 전에
대접해야 말이 없겠다.

봄은 새벽부터 바쁘다

어디선가
누군가
옥 고름 풀어 헤치고
앓는 소리에
이 밤이 다 탔다
꺼져가는 향 초불 그으름에
코맹맹이 재채기를
연신 해 대고

별당 아씨 소세도 못한 채
새벽 일꾼 조반 준비에
굴뚝 연기는 솔솔 약을 올린다.
말똥같은 햇살
구수한 시래기 국
멸치 몇 마리에 웃음이 터져
성산 아래 삐 딱 밭
늘어진 땡볕도 웃는다.

늦 봄

맑은 햇살
눈부시게 달려드는 초록
빠져 들고 싶은 하늘

밭고랑 두엄 내는 냄새
뒷집 장닭 장독대에서
암놈과 사랑 싸움 하는지
닭 벼슬 치켜 세워 노여워하고
꽃 속에 파 묻힌 나비같은 내 마음
나비 날개 짓에
둥둥 떨어지는 내 언어는
아름답게
싱그럽게
뒷걸음 치는 늦 봄에 매달린다.

오 늘

새벽 안개 속에
세치 두 푼도 안 되는
내 마음을
어르고 달래어
밀듯이 끌어 넣는다.

흙 손으로 주무르고
망치로 두들겨 세워
풀 꽃에 푹 적시어
청솔 가지 끝에 널어 놓았다.

바람도
새도
들락거리고
번지 없는 주막 간에
빈 대접만 소복하다.

저녁 해 걸음 붉은 노을
어두운 그림자에 놀라
빈 하늘만 지키고
이 봄은 지쳐 오도 가도
못하고 그냥 서 있다.

황량한 그곳에 너는

숲 속에 요정들은
기쁨에 나팔을 불며
절망과 탄식의 다리를 넘어
삭막하고 황량한 대지를 향해
내 심장보다 더 큰 구근을
말 없이 내려 놓는다.

그리고 엄숙한 사랑의
언약을 한다.

새들은 푸르름에 노래를 할 것이고
꽃의 아름다움을 볼 것이며
우리는 추억의 징검다리에서
사랑을 속삭일 것이다.

한 여름 밤 별들은
숨조차 쉴 수 없었던 배앓이를 기억하며
뜨거운 눈물 같은 이슬을 내 뱉고
황량함에 지쳐가는 영혼들을
깊은 잠에서 다시 깨어나게 할 것이다.

새 벽 안 개

산허리 몇 개 감싸 안은
긴 터널 같은
안개 속
마음도
몸도
텅 비어 있다
힘 없이 부서지는 햇살에
오늘도
무상으로 하루를 내어준다.

비가 떨어지면

천천히
빼곡히
내 생각들이 떨어진다.
마른 잎엔 추억으로
꽃잎엔 방울 져 또 다른 생각으로
창문엔 부서져 눈물로 떨어진다.
길가엔 물 안개 피어 내 생각을 가두고
오늘도
그리움이 한가득
사랑이 한가득
잡념이 한가득
이리 저리
내 생각이 떨어져 나 뒹군다.

새 벽 비

바람이 비를 부른 거야
내가 비를 부른 거야

마당에 날 보라고 웃어주던
꽃도
벌도
나비도
다 어디 갔는지

나도 덩그러니 비 속에
외로움을 긁는다

봄이 지쳐 뒤 걸음 치는 소리인가
님이 떠나 우는 소리인가
마당엔 새소리 조차 없는데

내 님 꼭 물안개 속에
우산 들고 다시 올 것 같아
새벽부터 창 밖을 쳐다보다
또 왈칵 울어 떨어진다.

망 상

푸른 하늘에
조각 구름이 떠나네
길 찾는 새 한 마리
지 길도 모르면서
내 갈 길을 물어보네
첩첩 산중
편백 나무 사이에 걸려
어두운 밤 하늘로
가고 또 가네
금붙이 달을 싣고
가기엔 버겁고
은붙이 별은 허망 해
욕심부려 싣어 보내
싣고 떠나다 지친 새벽녘
나 혼자 남아
모두 흔적없이 사라졌네

비 오는 날

비 소리에
밤 새 잠을 못 이루고
온 몸으로 떨어지는 비 방울에
새들은 꽃 이파리 뒤집어 쓰고
그리움이 한가득이다.

새벽 댓바람부터
막걸리 한 사발 들이키고
논 물 대는 아버지의 뒷모습처럼
나도 새벽부터 도롱이 쓰고
추녀 끝 떨어지는 비 방울에
가슴은 냇가를 이룬다.

하염없이 쏟아지고 부서져
내 머리를 타고 흘러
눈가에 소금 끼 없는
눈물이 되어 가슴을 적신다.

지　금

나무는 눈 비 오고 바람이 불어도
그 자리를 옮기지 않는다.
다만 조금 아파할 뿐이다.
나도 세상 시련 속에
조금 아파할 뿐이다.

조금

아 버 지 는

나이가 들어 가면서 가끔 내 아버지가 생각난다.
철이 없을 때에는 아버지를 보면
마주치고 싶지 않고
마주하기 싫었는데
막상 내가 아버지가 되고 가장이 되면서
내 아버지가 그립고 보고 싶고 죄송한 생각이 든다.
자신보다는 가족을 먼저 생각 하셨던 분
지금 생각 해보면 아버지의 말씀이 내 생각과 똑 같다고
볼 수는 없지만 아마도 비슷하지 않을까
나도 자식과 처를 생각하면 아무 이유도 없이
가슴 저리고 아프다.
항상 못 해줘서 미안하고 속상하다.
바른 길을 가라고 야단치고 잔소리를 하지만
내 자신이 자식 앞에 부끄럽다.
그래도 자식만큼은 나 보다
나은 길을 걸었으면 하는 노파심으로 이해 했으면 좋겠다.
언젠가 두 아들도 나이가 더 들어
세상살이 어려움을 알 때쯤 아버지를
이해하고 참 좋은 아버지로 기억했으면 좋겠다.

나무 그늘 아래 별이 빛나네

땅의 영혼과
하늘의 영혼이 만난 끝자리
푸른 물기둥 같이 고은
별이 빛나
내 영혼의 휴식을 수혈한다.

나무 꽃 그늘 아래
연인들은 속삭이고
봄꽃 같은
별을 가슴에 녹여
사랑의 지도를 그린다.

뜨거운 태양 빛
그을려 지친 영혼들에
푸른 강물 같은 생명수를 잉태하고
붉게 여물어 탐스런
또 다른 별을 내어준다

오늘도 나무 그늘 아래
별이 눈부시게 빛나고
휴식 같은 희망을 수혈 받는다.

가슴에 노란 리본

엄마 배가 기울어져요
배에 물이 차 올라와요
우리가 어떻게 해 줄 수
없어 미안하고 죄스럽다.
저 검푸른 바다가 원망스럽고
우리가 어떻게 해 줄 수
없어 미안하고 죄스럽다.
가슴에 노란 리본 달고
머리에서 발끝까지 대못을 친다
우리가 어떻게 해 줄 수
없어 미안하고 죄스럽다.
저 검푸른 바다가
살아 숨 쉬는 우리가
미안하고 죄스럽다.

최소한

미안하고 죄스럽다.

꽃이 진 자리

꽃 잎이 흩날린 자리
님의 그리움이 맺힌 자리
꽃이 진 것도 서러운데
누가
새똥을 발라 놓았나

새파란 이파리
새똥 주무르며
어여쁘게 살포시 펴네

한 여름 비 바람도 쉬어가는 자리
내 님이 한 번쯤

오실지 몰라

아직도
연분홍 꽃 치마 두르고
빙그레 웃으며
기다리지요

오늘도 당신이 그리워
밤이면 별을 담고
낮이면 햇살을 담아
예쁘게 치장 중

봄의 소묘

아스라이 떨어지는 꽃 잎
호수에 빠져 버려
연꽃의 전설을 깨운다.

버들가지 마디 마다
강아지 꽃대를 매달아
눈을 흘기
바람결에 임을 그리는
천금 같은 봄 날
부서지는 햇살은
미치도록 나비가 되고 싶다.

머리에 노란 민들레 꽃을 꽂고
쑥 캐는 아줌마
나비야 이리와
나랑 놀 잔다

그   대

꽃 이어서
　아름다운 것이
　　아니다

그 동안 살아온
　세월이
　　아름다운 것이다

꽃에만
　향기가 있는게
　　아니다

그대는
　가만이 있어도
　　향기가 있다

자 화 상

태초에 어둠을 가르고
수 많은 인연의 꼬리를 잘라
겨울 속 하얀 눈 속에서
생의 아침을 열다.

호수가 홀로 앉아
물끄러미 내려다 본다
하늘에 쪽빛 구름
머리에 머물고
철 없는 물고기 한 마리
얼굴에 이엉을 엮고
동태 눈처럼 변해가는
눈가엔 이슬이 없다.

생의 한 가운데
바람처럼
꽃처럼
이슬처럼
맑고 희게 살아가려 하건만
내가 엮어 놓은 덫에 걸려
허우적거린다.

내 희미해진 기억 속
잃어버린 시간은 어디에
두었는지 찾을 길은 없고
아직도 새 봄을 마냥 기다린다.

기다림의 시간 속에
변해가는 세상의 이치를
깨우치지 못한 채
내 늙음을 탓하며
미동도 없이 밀려오는
바람의 파동 속에 나를
내려놓고 싶어한다.

아직 시작도 못 해 본
세상 놀이를 지우기엔 아깝다
저 호숫가 깊은 물속에서
새로운 전설의 나를
일으켜 세워 메마른 대지에
목마른 들녘에 폭포수 물기둥 같은
용솟음을 보여 주리라
아직도
나는 물새들 틈에 끼어
호수를 비상 할 준비하고 있다.

내려 놓게 하소서

바람에 흐느낀다.
벼랑 끝 언덕을 넘어
막다른 길
마지막까지 부여 잡고
놓지 못하는 손아귀에
부르트고 멍울 들어 아프다.

바람에 흩날린다.
가지 끝에 잡은 손을
내려 놓으니
세상이 온통
꽃 길이고 새로운 희망이
싹 트기 시작한다.

나를 위해
너를 위해
초록이 태양을 가리고
알알이 그 안에
새로운 내가 잉태 된다.

내가 아닌 너를
너가 아닌 나를
마음에서 내려놓고
저 넓은 벌판에
크게 소리 지르며 달러 가고 싶다.

진 달 래

어떻게 살아서

심신 산중

홀로 피었 누

가녀린 몸 맵시

하늘 거리 누

연분홍 꽃잎

족두리 쓰고

어디로 시집가 누

밤새 나는

밤새 깊은 어둠 속에
굴곡진 내 영혼을
비 바람에 가두고
혼 줄을 내시더니
여명은 대지에 새 영혼을
서열도 없이
반듯하게 다시 세운다.

숨 가쁘게 돌아가는 세상살이
뒤로 돌릴 걸음조차
힘겨워 목 놓아 울어도
대지는 나에게
희망을 주고 기쁨에 향기를 내어준다.

지금 이 아침
내 안광에
오색 별천지를 선물한다
예쁜 마음을
기쁜 마음을
푸른 마음을
꽃 향기 속에 전한다.
오늘도 가슴 시린
깊은 산속 토끼는
이리 저리
도토리 주우러 뛰어 다닌다.

서풍 불어 꽃 향기 날려도

바람이 불면 마음이 편하다
비가 오면 마음이 더 편하다

편한 의자에 앉아
비 바람을 맞이 하고 싶다

꽃이 조금 떨어져도
향기가 조금 날려도
괜찮다

내일 떠오르는 태양 앞에
대지는 당당히 두 팔 벌리고

꽃은 더 영롱한 향기를 뿜어 내며
벌과 나비가 황홀한 외출을 시작 할 것이다

나도 새벽부터 팔 걷어 붙이고
대지를 향해 줄달음 칠 것이다

너와 나 였기에

우리 인생길에 꼭 필요한

너

그리고

나

수 많은 인연 중에 꼭

너 였기에

나 였기에

서로 사랑할 수 있었다

지금 이 순간에도

여 울

햇살 좋은 날
여울목에 홀로 앉아
물 빛 고스란히
눈꺼풀에 씌우고
마음속 삭정을
깊은 여울 속에 빠뜨리자
물 오리가
검게 탄 삭정을
먹든가 말든가
남겨놓고
하늘 보고
땅 보고
툴 툴 털고
봄 나들이 나가자
꽃들이 만발해
주체 할 수 없단다

벚 꽃

밤 하늘에 별을 따다
가슴에 묻어 두고
촉촉이 물들여

그리운 사람이
오시는 길에
빼곡히 붙여야지

연분홍 꽃잎이
그리움 되어
눈물 흘리기 전에

봄 바람 이는 밤에는
다시 별이 되어
오시는 길을
밝혀 줘야지

사   월

문 밖에 뉘시오
개 짓는 소리에
문 열어보니
사월이 오시었네
아이고 황당하여라
삼월이 보낸지
엊그제인데
왜 이러시오
쥔에게 물어 볼 터이니
잠시 기다리시오
동구 밖 서성이는
오월이는 땡깡을
부릴 참으로 대문을
꼬누고 있다

사월의 봄

그리운 내 님이 오시려나
토닥 토닥
봄 비가
밤새 내린다

여기 저기
물 안개
방긋 방긋
울긋 불긋
샛노란
뽀얀 꽃집인데

학교 운동장
아이들의 깔깔대는
웃음 소리에
연분홍 꽃망울이
연신 터진다

그냥 저냥 살아요

기쁜 일이 있어도
슬픈 일이 있어도
아프지 않으면
죽지만 않으면

그냥 저냥 살아요

하루에도 몇 번씩
하늘 보고 웃고
땅을 치고 울어도

그냥 저냥 살아요

세상 사람 모두가
이렇게 저렇게
그냥 저냥 살아요

봄은 심술쟁이

봄 날은 내 눈이 시리다
봄 바람에
꽃 향기 묻어 오고
초록이 촐랑거려
나를 부르고
꽃이 피었다고 폼 잡더니
금새 지고 말았다.
환호와 탄성 속에
내 마음의 문도 열어 두었건만
금새
봄은 저만치 가고 있다.

할머니의 늦은 봄

늦은 봄 날
겨울 옷 껴 입고
흰머리 파뿌리 되어
할 말이 태산이건만
아이고 좋아라
새 봄을 이제야 여신다.

화사한 꽃 속에
벌 나비가 노닐어도
꽃은 마음이 없고
소리가 없어 싫다고 하신다..

할머니의 소리에
나무 위에 새가
흐느껴 울어도
눈물이 없다며
할머니 눈가에
눈물이 고여 웃더라.

흐 린 봄 날

비가 오려나
날 파리만 꼬이고
머리 속 잡념은 떠나질 않아
마음 놓을 곳을 찾을 수가 없다.
어제 봄 햇살이 너무 좋았나
꽃 향기를 느끼지 못함이
세상 탓을 하기엔 너무 부끄럽고
내 탓을 하기에는 자신이 초라하다.

비가 오려나
등에 진 짐이 너무 무거워 서럽다.
지나는 행인에게 가는 길을
물어도 대답이 없으니
이 노릇을 어쩌나
비가 오면 지짐이에
막걸리 한 사발 먹고
훌훌 털어 버려야지

바 램

폭포수 아래 이끼는
언제부터 말랐는지
목말라하고
벼랑 끝에 매달린
소나무
봄 바람에 부시덕 거리고
하늘만 쳐다본다.
별이 지고 해가 뜸이
메일 일상이건만
하늘 속 구름만 탓하고
세월만 죽인다.
오늘은 내가
하늘을 뒤져
먹구름을 찾아와
속 시원히 적셔 줘야지
목마른 영혼들을 위해

세 상 살 이

팍팍한 세상살이
늘지도 줄지도 않음이
딱 좋은데

석양의 노을을 보면
아쉬움이
그리움이
가슴 속을 파고 든다.

바람이 분다고
꽃이 지는 것도 아니고
꽃이 핀 다고
바람이 안 불어 오는 것도 아닌데
세상살이 걱정이 한이 없다.

석양은 얄밉게 산을 넘어 가고
내일 뜨는 태양은
좀 더 넉넉함으로 다가 왔으면 좋겠다.

내 봄은 딸랑구

애기 포대기에 쌓여
웃어 보라고 듣던 소리
딸랑 딸랑

작은 정원 꽃밭에
꽃들이 웃어보라고
딸랑 딸랑

마누라 바가지 긁는 소리
귀 딱지가 앉아
딸랑 땅랑

축 들어진 어깨에
봄 바람이
딸랑 딸랑

한밤 중 문 잠그라고
마누라 성화에
딸랑 딸랑

봄은 언제나
여기 저기에서
딸랑 딸랑

흙 속에서

흙 속에서
이렇게 예쁜 놈을
키우네

밤 새 비 방울에
앓는 소리 하더니
아침엔 입 주둥이
삐죽삐죽 낼름 거린다

내 마음도
바람결에 말리고
봄 볕에 달달 볶아서
흙 속에 심으면
이렇게 예쁜 놈을
만들 수 있으려나

비 오면 더 앓는 소리
내 뱉어 우리 님
애간장 녹여
더 예쁜 놈 만들어야지

비에 젖어

가랑비에 옷 젖고
이슬비에 내 마음 젖고
색시 비에 그리움이 젖는다.

하루 종일 비에 젖어

마시는 커피 한 잔에
또 울컥
외로움이 젖는다.

비 소 리

내 님 낮잠 자는 소리
들녘 물 대는 소리
나 몰래
새 이파리 돋는 소리

가던 길 멈추고
막걸리 한 잔에
세상 시름 마시는 소리

봄 꽃구경 다녀 오고
이리 저리
전화하다
큰 일 치러 웃는 소리

내 귀가엔
여기 저기
풀 숲에서
여름 재촉하는 소리
그냥 이대로 정겨운
비 소 리

내 마음의 독백

마음의 문을 열고 나니
세상살이 좁디 좁고
모두가 친구이더라

나이가 많고 적음은
빛 바랜 일기장의
페이지 수에 불과하고

욕심부려 부자 되어도
걱정 근심 떠나지 않고
친구가 더 없더라

가난 속에 살지라도
사랑하는 사람과 함께라면
어떻게든 행복하더라

세상을 등 지고
빈 손으로 가더라도
내 님의 고마운 마음은
꼭 가지고 가고 싶어라

꽃

스멀스멀
밤부터 새벽까지
배꼽에서
쏘 옥

아침 햇살 가득 모아
꽃 단장

내 님은
하루 종일 꽃 내음에 취해
밤에는 사랑 타령

두근두근
콩닥콩닥

그 리 움

봄 햇살 가득한 날
사랑하는 사람이 그리움으로
다가오는 건
그대와 살아야 할 날들이
더 많음이다
겨울을 보내야 봄이 오듯
세월의 아픈 서러움이 더 큰 그리움으로
다가올 수 있게
당신의 주름진 얼굴에
웃음을 찾아 주고 싶은 그리움이다
빈 주머니 탈탈 털어
그대를 사랑한 들
한 겨울 서릿발을 참아 내기 어렵고
봄 햇살 가득한 날
살아야 할 날들을 더 큰 그리움으로 채워
그대 가슴 가득 사랑으로 채워 주고 싶다.

오 늘

바람처럼 왔다가
연기처럼 사라지는
세 월

미움도
사랑도
고통도
행복도
다 내 욕심인 것을

어제를 돼 내어
내일을 걱정한 해도

오늘 하루를 잃어 버리고 나면
내일의 바람은 머물지도 않고
흩날린다.

캠퍼스에 봄

아침 강의 시간 전
면담

아침 강의 시간
출석

나도 뛰고
학생도 뛰고

숨은 가쁜데
신출내기 인사를 꾸벅
내가 지 선생인 줄

에라 모르겠다
꾸벅

면담 마치고 교수실 나오는데
공손히
안녕하세요

대 략 난 감

대 추 나 무

작년 가을에
고추 잠자리가 날아와
앉은 자리가
잘렸다.

다른 가지는 멀쩡해
새 순을 틔우는데

오직 이 가지만

가을이 오면 어쩌지

고추잠자리 앉을 자리를
이 곳 저 곳
쏘 다녀
만들어 놓아야겠다.

오늘도 길을 걷는다

인생 어제와 오늘

꽃 길도 걸어보고
빗길도 걸어보고
눈길도 걸어보았다.

목적도 없이 걸어온 것 같지만
그 길가엔 가녀린 땀과 희열들이
무거운 돌덩이 앙금이 되어
내 가슴 속에 남아 있다.

길가에 홀로 서 있는 질경이는
어제도 밟히고
오늘도 밟혀도
오롯이 서 있는 내 인생 같아 보였다.

때론
아프다고 소리도 지르고
욕도 해주고 싶지만
그래도 오롯이 참고 걸어가야 할
내 인생길이다

행 복

된장찌게 하나 놓고
둘러 앉아
오늘과 내일을
물어 보고
들어 주고
칭찬 해주고
서로 기뻐하며
도란도란 사랑을 엮는 것

욕 을

마음껏 해주고 싶었다
배가 터지도록 해 주고 싶었다
입에 가풀이 끼도록 해주고 싶었다

모두에게

하고 나면 후련할지 몰라도
하고 나면 내 마음이 아프다

나만

그래서 참는다

친구가 아프다

세상에
세상에
꼭 너 였음이
가슴이 아프다
달빛도
별빛도
고개 숙여 기도 하리라

따스한 봄이 오면
진달래가 흐드러진
개울가에 발 담그고
막걸리 한 사발 마시자
친구야

하늘도 푸르다
내 마음도 푸르다
아직 네 마음도 푸르다

거추장스러운 산허리 하나 잘라 내고
푸른 바다 순풍에 돛을 올이고
다시 향해 해 보자
친구야

엽   서

밤 하늘에 별들이 그리움 되어
손바닥 엽서에
촘촘히 내려 앉는다

낮에 본 꽃을 바탕에 깔고
새벽 이슬을 가슴에 담아
촘촘히 떨어뜨린다

남이 뵈도 모를
수 많은 사랑의 숨 소리는
숨은 그림처럼
손바닥 엽서에 숨겨 놓았다

추신
너와 나의 못다한 사랑의 언어
내 가슴에 담고
펜을 내려 놓는다

내 마음의 거울

봄이 왔다고
꽃이 핀다고 아우성인데
연지 속 슬픈 사연은
내 마음의 거울이 되어
덩치 큰 나를 삼켜 버린다
종종 걸음으로
다가가 탁한 수초 속에
봄을 기다려도
아직 내 마음은 꽃이 없더라
봄 볕이 연지를 달구고
바람이 구름을 움직여
비가 내리면
내 마음 연지 속에 비추어
연꽃을 피게 하리라

공 감

막걸리 한 사발로 속을 채우고
걸걸해진 목소리로
세상을 호령 하듯
부디 치는 찰라
멀지 감지 있던 강아지가
멸치 똥을 주워 먹는다
서로를 쳐다본다
손 벽을 치고
강아지를 가리키며

박 장 대 소

해는 넘어가고

햇살이 모래알처럼 부서져
내 망막을 멀게 하고
서산으로 숨어 버렸다.
땅거미 어리숙하게 내려 앉아
긴 혀를 차고
아직도 거미줄처럼 엮어 놓은
기와집을 짓느라
시간 가는 줄도 모른다.
나그네는 투덜거린다.
내일 다시 해가 금빛 치장을 하고
동산에 떠오르는 것을
새벽부터 보고 싶다고
내가 살아 있음을 너를 통해 알듯이

봄 햇살 속으로

햇살이 눈부시게 들어 오는 창가 쪽
등받이와 팔걸이가 붙은 의자에
가장 편한 한 자세로 앉아
구수한 입담과 정겨운 노래를 들려주는
라디오 볼륨을 살짝 올리자

창문 밖 눈부신 햇살을 바라보며
늘어진 소나무 가지에 시 한수 걸치고
빠르게 지나가는 행인에게 여유를 당부하며
봄 햇살 가득한 마음의 여유를 즐기자

돋아난 새싹 들에게 희망을
꽃 몽우리 진 꽃에는 향기를
봄 햇살이 가득할 때 조금씩 나누어 주자.

꿈

달빛도 없고
별빛도 없는데
항상 훤한 대 낮처럼
날 찾아와
가녀린 삶에
꽃 길을 깔아준다.
때론 해묵은 일상에
몽정만 남기고 떠난다.
잡아보려 애를 써 봐도
추억처럼 이내 사라져 버린다.
오늘도 나는
몽정의 씨앗을 헤집어 보려
길을 떠난다
가녀린 삶의 희망을 찾고 싶어서

오 솔 길

잠시
내 시간을 멈추고
내 마음의 오솔길로
걸어본다.

바람도
구름도
하늘도 없고
내 마음만 보인다.

고요 속
새는 울고
꽃은 웃고
나무는 그냥 서 있다.

이 길 끝에
햇살이
바람이
벼랑 끝에 매달려 슬피 운다.

업 을

업고 살아요
짓고 살아요
그래도 풀어보려
또 짓고 살아요

정월 대보름

밤 새 까고 주무르더니
아침이 평소와 다르다
딱딱한 것부터
검푸른 나물에
술까지 더해졌다.

정월 대보름

장모님 모시고 정월 대보름을 맞이 하던 기억이
오늘 밤엔 달 짚을 주어다
당신과 내가 번갈아
태운 달 짚을 넘으리라.

올 한 해
무사태평을 기원하며
달 빛에 소원도 빌리라

행 복

혼자 보다는 둘이 있어
덜 외롭고
둘이 보다는 가족 있어
더 행복하다
외로움은 영혼 없이
나뒹구는 낙엽 같으니
모두가
봄 햇살 속에서 함께 할 수 있으면
마냥 행복하다

초 여 름

오늘
머리에서 발 끝까지
쏴아악
비를 맞고 싶다.

비가 안 오면
샤워 부스에
쏴아악
물를 맞고 싶다.

영혼없이 나뒹구는 가랑잎도
늦 봄 꽃 내음에 취하게

쏴아악
비가 오면 좋겠다.

인생에 묻다

언제
봄이 와서 꽃을 피우냐고

언제
바람 불어 비가 오냐고

언제
그랬냐는 듯 시간이 다 가버렸다.

내 조바심은
항상
뒤 늦게
언제

당신과 나

까만 밤이
하얀 밤이 되도록
마음에 수를 놓았습니다.

무슨 말이 필요한지
밤새 생각하며 수를 놓았습니다.

오줌 지리며
울 당신을 생각하며 수를 놓았습니다.

새벽녘 당신은 소리없이
내 가슴 깊은 곳에

아름다운 수를 먼저 놓고 가십니다.

새   벽

어제의 소소한 일상들이
어두운 밤 하늘에
달빛이 되었고
별빛이 되었다
고요한 어둠 속에 보석처럼 머물다
늙은 내 가슴에 가장 먼저 쏟아져
게슴츠레 눈을 뜸에 늘 감사한다.
늙은 색시와
어린 자식들은
안개가 거치고 따스한 햇살이
눈가에 머물 때 새벽 이었으면 좋겠다.
지금 막 동이 튼다.
아름다운 동행들이 길가에
경주를 하듯 이 새벽을 내달린다.

인   생

인생을 짧은 단어 속에
가두기엔 턱 없이 모자라지 만
툭 한번 던져본다.

인생이란 그림 판 퍼즐 같은 것
퍼즐 한 조각을 손에 쥐고 이곳 저곳을
기웃거리다 한 조각을 끼워 놓고 기뻐한다.
내 손에 또 하나의 퍼즐 조각을
손에 쥔 걸 잊은 채

인생이란 양파 껍질 같은 것
겉껍질 까고 한 번 웃고
또 속껍질 까고 속절없이 울고
마지막 껍질 속은 비어 있는 것

인생이란 사계절 (봄 여름 가을 겨울)
봄이 와서 꽃이 피어서 웃고
여름 와서 덥고 뜨거워서 울고
가을 와서 낙엽이 져서 슬프고
겨울 와서 춥고 갈 곳 몰라 망설이는 것

그래서 인생은 계절 따라 살며
빈 껍질을 아쉬워하며
마지막 동화 속 퍼즐을 다 맞추고
빈 손으로 가는 것.

봄

봄이 성큼 다가와
진달래가 고개를 살짝 드네요
푸른 하늘 구름도 멈추고
덩달아 하늘하늘 웃네요

넉살 좋은 강아지
양지 바른 툇마루에 앉아
봄 바람을 느끼며 졸고 있네요

소나무 가지에 걸린 겨울은
참새들의 입방아에
제 고향으로 돌아 갈 준비를 하네요

봄 햇살 가득 머금은
내 마음은 봄바람 타고
늦바람 나려고 하네요

당 신

봄이 오고
꽃이 피었어도
당신이 더 아름답습니다.

여름이 와도
뜨거운 태양보다
당신의 사랑이 더 뜨겁습니다.

가을이 오고
낙엽이 떨어 진다 해도
당신이 더 생각납니다.

겨울 와서
눈이 내리면
당신 눈 속에세 생을 살렵니다.

언제나
내 마음은
당신 생각뿐입니다.

봄 햇 살

문 틈새 따스한 햇살이
아지랭이 연기하 듯 꿈틀 거리고
깊은 계곡 산사 암자.
노승의
청아한 염불 소리
겨우내 쓰러진 덤불 속 영혼을 깨운다.
덜 여문 들판에
덜 푸른 소나무 가지 위에
덜 녹은 바위 틈 계곡 물소리가 되어
지친 내 영혼의 귀 바퀴에 내려 앉는다.
세간살이 인연을 들려주려

산사에서

마음의 빈 잔

아직
내 마음의 빈 구석
잿빛 구름 속
떨어지는 빗물을 담을
 그릇이 있어서 좋다.

눈으로 스캔하고
입으로 읍소하는
수 많은 사연들을
담을 그릇이 있어 좋다.

채워도 채워지지 않을
마음의 빈 잔을
한 줄기 빗 속에 담아
넘치도록 붓고 싶다.

찾아 올 사람은 없고
찾아 올 계절이 있으니
나 또한
계절마다 마음의 수채화를 그리고 싶다.

당신의 빈 잔을 향한
계절의 향연을 위하여

그 리 움

새벽녘 비가 멈추고
떡갈나무 잎새에
그리움이
초롱초롱 맺혔다.
산까치 날개를
퍼드덕 거리며
목 놓아 울고
바람결에
그리움이
우두둑
비처럼 떨어진다.

지금도 떡갈나무에는 비가 온다
진짜 비 오는 줄 착각
아이 깜짝이야

돌을 쌓으며

거칠고 모난 못난이 돌
요놈을 잡어다.
두들기고 다듬는다.
새벽부터 망치 소리 요란하고
한 숨 쉴 틈 조차 주지 않고
요리 조리 굴리어 가며
석공의 손이 문드러진다.
한 단은 기초 초석으로 세우고
또 한 단은 단아하고 맵시 있게 올려 놓으니
선방 스님들 아직 멀었다며
죽비로 내려 친다.
정신이 번쩍 들어 깨어보니
내 심장에서 피가 흐르고
가슴의 시원함이 목 젖을 타고 흘러
짙 푸른 소나무 송진 같은 앙금을 토한다.
바람이 부는 풀숲은 노래를 하고
파란 하늘 향하여 기다랗게 누웠다.
비바람 치는 언덕에 새우잠 자던
새들은 집을 지으며
봄엔 꽃들이 망설임 없이 피어
희망의 향기를 전한다.

빙빙 도는 기차

길다란 얼룩무늬 기차.
줄 맞춰 늘어서
그 집을 빙빙 돈다.
겨울엔 흰 빵모자 쓰고
찬 바람 속을 뚫고 빙빙 돈다.
봄 한철 소담한 내 모습 살짝 보여
헤지고 파여진 굴곡에
세상 모든 소리를 담고.
할머니 바가지 긁는 소리에
주인 어른 헛기침하며
대문을 박차고 나가신다.
봄은 쉬 가고 이내 무성한 푸른 숲.
미끄러지듯 정글 속을 달린다.
기차가 서는 종착역은
나가신 주인 어른 막걸리 드신 목소리에
반갑게 맞이하고 찌그덩 문을 닫는다.
그리고 기차는 밤 새 달린다.

짝 사 랑

겨울 밤
하얀 눈꽃으로 갈아 입은 내 몸매
부엉이 무섭게 울어 대고
눈길 한번 주지 않고
그대는 내 앞을 도망치듯 지나갑니다.
밤이면 밤마다
둥근 달빛에 파란 머리핀을 꽂고
그대를 기다리다
내가 넌서 안날이 나
가시가 송곳처럼 날을 세웁니다.
달빛에 내 마음을 매달아 보아도
그대는 달빛만 보고
별들만 헤아립니다
꽃 피고 새 우는 늦은 봄 날
하얀 보자기에서
주섬주섬 쏟아지는 쌀 튀밥
토실토실 영글어 그대 앞에 서서
마냥 울어보고 싶습니다
향기는 그대 가슴에 주었고
눈물이 웃음으로 바뀔 때
하얀 눈꽃이 되어
바람에 사랑을 전합니다
그대가 나를 보고 웃는 그날까지

일요일 아침이면

일요일 아침
당신은 퉁탕거리고 요란스럽게 떠들어댄다.
어제의 고단함을 못 이겨
잠이 덜 깨였나 시원한 물로 샤워을 한다.
그리고 이내 잠이 든다.
허리는 꺾어져 새우등처럼 휘었고
팔다리 꺼꾸로 매달려 오금이 저려 온다.
옥상 위 잠자리 한 마리
손님처럼 안절부절 못하고
당신은 아침 이슬같은 눈물을 떨구며
바람은 어제의 일을 흔적도 없이 날려 보낸다.
하얀 구름 바람에 만국기처럼 휘날리고
문틈 새 아이들의 웃음 소리는 담장을 타고
행복한 오후에 휴식을 즐긴다.
당신의 어제 일들을
바람과 햇살에 모두 날아가 버렸고
해는 감나무 잎사귀에 걸려 붉게 탄다
당신은 노을 속 순백의 여인처럼
내일을 또 기다린다.

바람속에 너는

바람을 움켜쥐고 창공을 가르는
깃발을 봐라.
저 넓은 들판을 향해 아우성 치고 있다.
어릴 적 까만 눈동자에서 빛나던 너는
척박한 땅에서 피는 꽃보다 향기롭고
태양보다 뜨겁다.
거미줄처럼 엮어진 실타래 인생길에
바싹 움 추리고 있지만,
지금 바람을 타고 펄럭이고 있다.
뜨거운 가슴을 부등켜 안고
바람이 부는 언덕을 넘어
꽃들이 세상에 만발 할 때
언젠가 너는
어둠 속 보석처럼 빛나겠지.

풋 사 랑

여름 한 낮 땡볕에 그을린
붉은 땀방울들이 주렁주렁 매달린다.
세찬 비바람이 불던 날이면
두건을 쓴 어머니 마음처럼 두근거리고,
지나가는 나그네의 웃음 소리에도 붉게 여문다.
길가에 코스모스 , 고추잠자리 떼를 쫓느라
막둥이 하고 실랑이를 벌리고
파란 하늘 흰구름에 나를 숨기니
목동들은 피리를 불고
양떼 구름은 집으로 돌아갈 채비를 하고 있다.
햇살은 모래알처럼 반짝여 따갑고,
창문 없는 원두막 연인들
해가 저문 줄도 모르고
풋 사랑도 붉은 노을처럼 익어가고 있다.

또 다른 나

햇살에 붉게 물든 저녁 노을
솔가지에 걸려 잠시 멈춘다
내 생의 뒤안길에 그림자처럼 따라와
내 흔적의 발자국을 고이고이
밟으며 지우며 간직한 세월
봄이면 나물 캐 된장국 끓이고
비 바람 치면 옷을 벗어 닦아 주던
당신
얼굴은 저녁 노을처럼 뾰로통 해도
그 속은 내 마음인 것을
이제
눈 보라 치면 내 옷을 벗어
포근히 감싸 주련다.

오동나무 아래에서

딸 시집 보내려
심은 오동나무
같이 늙어가다
빈집에 홀로 남았다.

달 밝은 밤이면
마당 모기 불 앞에
앉아 있던 꼬맹이는
얼굴조차 기억이 없고

외로움에 속은 텅 비어
바람조차 무서워 운다.

천둥이 치고 비가 오는 날엔
한 없는 눈물에
뚝뚝 거리며

주인 없는 마당엔
잡초만이 무성하고
울어 대는 풀벌레 소리
오동잎 만이 수북이 쌓여
외로운 가을은 긴 여행을 떠난다.

워 낭 소 리

이른 아침 눈을 뜨면
창 밖 수목장 주목을 바라본다.
밤 새 그리움 였을까
말 없이 미소만 짓는다.
꽃 같은 열 여덟 살 피난길에
입 하나 덜고자 시집 온 꽃 각시.
가난은 삶의 무게를 짓누르고
남편의 젖은 땀방울에 울고 웃던
헛간과 외양간 소 막.
빈 가마솥 아궁이에 습관처럼 불을 지핀다.
깨이지고 히물어진 굴뚝 연기.
아련한 추억의 회상을 만들고
백발이 되어 눈가에 진물만이 흐른다.
서러움이 그리움 되어
허전한 가슴 떠날 줄 모르고
허물고 새로 짓자는 아들 놈 성화에도
가슴이 져려 오고 아파 오지만 ,
사랑하는 사람과 인생의 출발지이고
종착지가 되어 버린 이 곳.
사랑하는 사람의 살내음과
영혼이 맴돌고 있는 이 곳.
지금도 텅 빈 외양간에는
남편을 찾는 워낭 소리만이
바람에 쓸쓸히 들려온다.
땡 그 랑   땡 그 랑 ....

흙 한줌에 피는 꽃

내 가슴은
어릴 적 본 황토벽처럼
갈라지고 헤졌다.
그 틈 새엔
온갖 벌레의 소굴처럼 변해 버렸고,
물기조차 없이 메말라
움츠리고 숨 죽이고 있다.
정지된 삶의 애달픈
한 여름 땡볕 속에
숨이 막혀 오르고,
향기를 잃어가는
끈적이는 오늘.
아스팔트 바닥
흙 한 줌에 피는 들꽃의 뜨거운 정열은
뿌리 채 말라 목이 탄다.
저 푸른 능선을 응시하며
넘어 오는 바람 속
먹구름에 애절한 소망 하나 싣고,
소낙비 쏟아지는
가슴 속에 물꼬를 열고 싶다.

초승달 뜨는 밤

뻐꾸기 피 울음에
초승달 감겨오고

가난도 병이 들어
술 잔엔 눈물 가득

오늘밤 우물에 빠진
갈잎같은 내 마음.

온 종일 쏘다녀도
빈 수레 빈 주머니

빈 햇살 쪼아 먹던
산비둘 멍울자죽

그래도 달빛에 여문
박꽃같은 내 마음.

손수레에 달빛을 싣고

하루를 밀고 가는
수레바퀴 힘살 무게

오르막 내리막 길
벅찬 웃음 쓰린 눈물

등솔기 소금 꽃 위에
환한 달빛 어린다.

되감기는 바퀴살에
이사하던 어린시절

혼자서 신명 났던
그 고샅 수레바퀴

지금은 짐 보따리에
비친 달이 애잖다

강변에서 허물을 벗고

봄날의 화려함은
강변의 울음인가

울며 간 나무 등에
빈 껍질 날 선 허물

훨훨훨 털고 일어 선
은빛 날개 날은다.

강변의 비릿함은
어족들의 허물인가

여름날 땡볕 속에
수척한 나룻터를

철철철 강둑을 따라
흙탕물이 흐른다.

어두운 방 구석에 책갈피

잊혀진 세월만큼
두텁게 쌓인 먼지

눈가에 주름처럼
구겨진 사연들이

문틈 새 한 줄 빛이 돼
학이 되어 날은다.

떨리는 손아귀에
애절한 그리움 들

소중히 꽂혀있는
마지막 손 지문에

아직도 들려 주고 푼
이야기가 남았다.

백 일 홍

바짝 마른 가지 끝에
꽃이 피고 꽃이 진다

새들은 백일 동안
꽃 잔치에 수근 거리고

가슴속 아린 명치끝
피 멍 들어 웃는다.

백일을 기다리다
떨구는 꽃잎 속에

전하지 못 한 말들
꽃 무덤이 되어 울고

아직도 붉은 꽃잎들
시리도록 서럽다.

소 나 기

풀꽃에 떨어지는 비는
분명 비가 아니었다
불구덩이에 던져 진 물방울이
흔적도 없이 사라지는 것 같은
들 끓는 가슴에 우는
매서운 현실이었다.
늘어진 잎사귀를 타고
흐르는 빗 방울에
허리를 뻣뻣이 세워 보지만
자꾸 굽어지는 풀 꽃.
한줄기 소나기는
중년의 허기진 희망
어쩌면 바램 같았다.
지금
땀 방울이 살갗에 흘러
옷 깃에 소금 꽃이 피어나고
늦은 저녁
머리카락을 적시는 소낙비는
계절의 길목에 선 허물이었다
바람이 분다
비가 온다
그리고 오늘이 간다
내일은 비가 올지 말지
내가 더 고민중이다.

가 을 손 님

몇 일 전 어릴 적 살던 집 앞을
바람처럼 지나갔다.
항상 요맘때가 되면
감나무 잎사귀에 쌓여
흙 담을 넘어 세상을 구경하고
내가 학교에서 돌아오길 기다리던
그 감나무는 어딜 갔는지
그 위를 낯 선 자동차만이
내 추억을 밟고 간다.
옆 집 아주머니 텃밭에
배추 모종을 심던 그 모습
울 아버지 몰래 감나무에
둥지를 틀던 노란 늙은 호박은
붉게 익어가는 감처럼
가을을 속삭이고 있었다.
아버지는 개학을 앞두고
늘 감나무 그늘 아래에서
내 머리를 시원스럽게 깎아 주시고
감나무 잎이 붉은 잎사귀로
변해갈 때 어디론지 떠나 가셨다.
지금은
푸른 감이 홍시가 되어
떨어질 땐 내 눈가에 눈물이
가을 아침 이슬처럼 맺힌다.
햇살이 눈부신 날.
울 아버지는 가을 손님처럼
매 년 감나무를 찾아 오실지도 모른다.

여름의 꼬리를 물고

높 푸른 하늘 잠자리 떼
서로의 꼬리를 물고
여름의 끝자락 푸른 바닷가
밀려오는 파도처럼 가을이 온다.
앞을 날고 있는 잠자리는 여름이고
뒤 꼬리를 따르는 고추잠자리는 가을 인가 보다.
길가에 목을 길게 뺀 코스모스
마지막 꿀을 내어주고
해질 녘 서산 붉은 노을처럼
내 마음도 가을이 들어 오고 있다.

여름내 쟁쟁 대던 참매미
가을 바람에 어디론지 떠나고
텅 빈 도심 한 가운데
밤이면 어둠을 헤집는
귀뚜라미 소리에 가을이 온다.
여름내 더위를 달구던 강변
쉬 식지 않을 것 같던 조약돌
반짝이는 너울에 식어가고
갈대 숲 새들은 사각 대며
내 마음은 가을 바람에 갈대처럼
외로이 서서 가을을 맞이 하고 있다.

흔 적

길을 걷는다.
어제의 그 길 위를

비가 내리고
바람이 불고

지난 날의 흔적들이
빗물에 씻기고 누워

가는 걸음
바지 단에 또 하나의
흔적을 남긴다.

그래도
또 이 길을 걸어 간다.

가 을 에

구름도 쉬어 가는
대추나무 그늘 아래
햇살 한 줌 더 주는 가을
보고 싶은 그리움들이
알알이 붉게 물든다.

추억이 머물던
수수밭 사이 길
내 귓가에 속삭이듯
그리움이 옷깃을 스치고
귀뚜라미 울음 소리에
둥근 달이 차 오른다.

멀고 긴 터널같은 인생
잊혀지고 잊혀졌던 그리운 사람
오늘
세상을 다 끌어 안은
가을 하늘 햇살처럼
그리움을 품고 여물고 있다.

동 강 반 달

어제 새벽녘
태백을 앉고 도는 동강에
찬 이슬 머금은 반달은
내가 먹었지.

태백의 깊은 옹달샘
천리 길도 마다 않고 달려와
얼싸 안은 동강 나루 반달은
네가 품었지.

아침 햇살 번들거리는
텅 빈 강나루 뱃머리에
떨어진 햇살을 물새와
나눠 갖고 떠나 왔지.